À Luigi, à Léo
et à Suzèle avec un l
(qui s'envolerait avec deux l!)
La Réunion

Déjà paru :

TOTOCHE

Catharina Valckx

Totoche
et le poisson malheureux

l'école des loisirs
11, rue de Sèvres, Paris 6e

Totoche est tout content, il a gagné un poisson rouge
à la fête du village.

Arrivé à la maison, il met le poisson dans un joli bocal.
«Bonjour poisson», dit-il, «tu t'appelles comment ?»
«Mauricette», répond le poisson.
«Ah, tu es une fille ?» s'étonne Totoche. «Tu es bien, là ?
Je t'ai mis des petites plantes.»
«Ça va, merci», dit Mauricette.
Mais Mauricette n'a pas l'air joyeuse du tout.

«Tu es triste?» lui demande Totoche.
Mauricette soupire. «Tu sais, ce n'est pas drôle d'être
un poisson rouge. Tourner en rond toute la journée
dans un bocal, ça fait longtemps que ça ne m'amuse plus.»
«Ma pauvre», dit Totoche, bouleversé.

«Tu voudrais être un autre animal ?»
«Oh oui.»
«Tu voudrais être quoi ?»
Mauricette réfléchit.
«Un dromadaire. Ça me plairait bien.»

«Mauricette, il ne faut jamais désespérer», déclare Totoche. «Je t'emmène chez Annaplure, la sorcière. Peut-être qu'elle voudra bien te changer en dromadaire.»

«Elle n'est pas trop méchante, cette sorcière?»
s'inquiète Mauricette.
«Ça dépend des jours», dit Totoche. «J'espère qu'elle sera
de bonne humeur. On ne sait jamais avec elle.»

Totoche frappe à la porte de la sorcière.

Annaplure ouvre. Ouille. Elle a son air des mauvais jours.

« Qu'est-ce qui te prend de venir me déranger ? » dit-elle, hargneuse.

« Est-ce que tu pourrais changer Mauricette en dromadaire, s'il te plaît ? » demande Totoche gentiment.

« Mauricette ? Qui c'est Mauricette ?

C'est la sardine, là ? »

Annaplure éclate d'un grand rire grinçant.
Elle s'empare du bocal et claque la porte au nez de Totoche.

Mon Dieu, qu'est-ce qu'elle va faire de Mauricette ?

Totoche s'approche de la fenêtre ouverte.
Annaplure rigole toujours.
«En dromadaire ! Ce qu'il ne faut pas entendre !
Et pourquoi pas en dinosaure pendant qu'on y est.

C'est déjà rare que je réussisse un crapaud ! Mais ce n'est
pas grave, ma petite, tu vas bien me servir. Rien de tel
qu'un peu de poisson dans la soupe au poivron.»
Totoche sent son cœur tomber comme une pierre.

«Annaplure ! Attends !» crie Totoche.

Annaplure se retourne. «Tu es encore là, toi ?»

«Tu sais», dit Totoche, «avant de mettre un poisson dans la soupe, il faut toujours… euh… il faut téléphoner à quelqu'un.»

«Quoi ? Téléphoner à quelqu'un ? Qu'est-ce que c'est que cette histoire ?»

«Tu ne savais pas ?» insiste Totoche. «Sinon ça porte malheur.»

«Ah bon ? Mais je n'ai pas le téléphone !» s'énerve Annaplure. «Tu es sûr que je ne peux pas la jeter, hop, dans la soupe ?»

«Certain», affirme Totoche. «Ça porte malheur.»

«Bon», soupire Annaplure. «Alors il faut que j'aille au bureau de poste.»

Annaplure rejette Mauricette dans le bocal et file au village.
«Ouf!» fait Mauricette. «Tu m'as sauvé la vie!»
«Le gros livre, là», dit Totoche, les yeux brillants, «c'est
son livre de formules magiques. Je peux essayer
de te transformer, si tu veux.»
«Oh oui!» dit Mauricette. «Mais vite, avant qu'elle
ne revienne!»

Totoche feuillette le grand livre.
«Ah voilà : *Comment réussir un dromadaire*. Oh là là,
c'est horriblement compliqué, ces formules. Je ne vais jamais
y arriver.»
«Regarde s'il y a un animal plus facile», suggère Mauricette.
«Oui», dit Totoche. «Tiens, ça, c'est tout bête : le crapaud.»
Mauricette fait la grimace.

«Je ne veux pas être un crapaud! Qu'est-ce qu'il y a d'autre?»
Totoche tourne les pages : «La chauve-souris. Pas très difficile.»
«D'accord», dit Mauricette. «Change-moi en chauve-souris.
Ça me plaît bien.»
Totoche lit : «*Bien regarder l'animal à transformer…*

… Souffler sur lui quatre fois sans cracher.
Sors ta tête de l'eau, Mauricette, que je souffle dessus.
*Ensuite, fermer les yeux, lever les deux index et prononcer
la formule magique :* Abracadabrume. Chauvinet souris
qui tournepoil. Grand'zoreilles ainsik lézelles.»

C'est alors qu'Annaplure, très énervée, s'engouffre dans la pièce.
« Quelle perte de temps ! J'ai appelé ma grand-mère mais elle est sourde comme un pot. Autant téléphoner à un géranium. Allez, pousse-toi de là, que j'attrape cette sardine. »

Mais le bocal est vide.

«Où est-elle passée ?» Annaplure n'y comprend rien.

«Pssst !» fait une petite voix.

Totoche se retourne.

Une chauve-souris lui fait signe à la fenêtre.

«Elle a sauté hors du bocal ?» demande Annaplure.

«Sûrement», répond Totoche.

«Je te trouverai, sale bête!» vocifère Annaplure. «Même
s'il faut que j'arrache le plancher!»
Pendant qu'Annaplure rampe en jurant à travers sa maison,
Totoche file dehors.

Là-haut dans le ciel, Mauricette volette en riant.
«Totoche! Tu as réussi, regarde-moi, je vole!»

Mauricette se pose gracieusement.
«Tu es drôlement jolie, en chauve-souris», lui dit Totoche.
«Tu trouves?» rit Mauricette. «Mais je suis toute nue,
il me faut une robe, je trouve.»

De retour au village Totoche achète une robe
pour Mauricette. Une robe rose, la couleur préférée
des petites chauves-souris,
avec des trous spécialement pour les ailes.

Et Totoche présente Mauricette à ses amis :
le grand Lazare avec le chapeau,
Lisette et Joséphine, la taupe.
Pour fêter la formidable
transformation de Mauricette
ils vont tous ensemble manger
une glace au bar du
petit chien qui louche.

Depuis ce jour, Mauricette n'a plus jamais tourné en rond dans un bocal.
Mais chaque nuit, quand Totoche dort, un joyeux petit ange gardien fait mille fois le tour de sa chambre.